TES CHAUSSETTES SENTENT LA MOUFFETTE!

ROBERT MUNSCH

ILLUSTRATIONS DE
MICHAEL MARTCHENKO

Texte français de
Christiane Duchesne

Éditions
■SCHOLASTIC

Les illustrations de ce livre ont été réalisées à l'aquarelle
sur du papier d'Arches.

La conception graphique de ce livre a été faite
en caractère Hiroshige Book 18 points.

Photographie de Michael Martchenko (4e de couverture) : Barry Johnston

Catalogage avant publication de la Bibliothèque nationale du Canada
Munsch, Robert N., 1945-
[Smelly socks. Français]
Tes chaussettes sentent la mouffette! / Robert Munsch ; illustrations
de Michael Martchenko ; texte français de Christiane Duchesne.

Traduction de: Smelly socks.
ISBN 0-439-96708-2

I. Martchenko, Michael II. Duchesne, Christiane, 1949-
III. Titre. IV. Titre: Smelly socks. Français.

PS8576.U575S5414 2004   jC813'.54   C2003-905937-5

ISBN-13 978-0-439-96708-2

Édition publiée par les Éditions Scholastic, 604, rue King Ouest,
Toronto (Ontario) M5V 1E1 CANADA.

12 11 10 9 8   Imprimé à Singapour 46   10 11 12 13 14

Le jour où Tina déclare qu'elle veut des chaussettes neuves, sa maman l'amène au seul magasin qui existe dans la petite ville.

— Ils n'ont que des chaussettes noires, remarque Tina. Est-ce qu'on peut, s'il te plaît, aller de l'autre côté de la rivière chercher de vraies bonnes chaussettes?

— Nous ne pouvons pas traverser la rivière ici, répond sa maman. Il n'y a pas de pont. Il faudrait conduire des heures et des heures avant de rejoindre le seul pont. De toute façon, nous n'avons même pas de voiture!

Tina va donc voir son grand-père.

— Peux-tu, s'il te plaît, me faire traverser la rivière avec ton bateau? Je veux aller m'acheter de vraies bonnes chaussettes.

— Le moteur du bateau est en panne, répond son grand-père.

— Nous irons à la rame, alors! s'écrie Tina. Tu t'assoiras à l'arrière du bateau, et moi, je ramerai.

— Tu vas ramer? dit le grand-père.

— OUI! dit Tina. Ramer, c'est facile!

Tina monte à bord et rame lentement.

Plouf! Plouf! Plouf!

Le bateau avance lentement en faisant des ronds.

WOUCH! WOUCH! WOUCH!

Tina rame vite.

Plouf! Plouf! Plouf! Plouf! Plouf!

Le bateau avance plus vite en faisant encore des ronds.

WOUCH! WOUCH! WOUCH! WOUCH! WOUCH!

— Ce bateau ne sait plus comment avancer à la rame, dit Tina.

— Place-toi à l'arrière et dis-moi comment ramer, dit son grand-père.

Tina s'installe donc à l'arrière du bateau, explique à son grand-père comment ramer, et son grand-père réussit à traverser toute la rivière à la rame.

Ils traversent ensuite toute la ville jusqu'au grand magasin de chaussettes.

Tina essaie des chaussettes trop grandes, des chaussettes trop petites, des chaussettes trop bleues et des chaussettes trop roses.

Tina essaie des millions et des millions de chaussettes.

Elle trouve enfin les chaussettes parfaites : rouge, vert et jaune.

Puis, comme l'heure du souper approche, Tina et son grand-père reviennent au bateau en courant. Cette fois, le bateau se rappelle un peu mieux comment avancer à la rame. Ils font toujours des ronds, mais ils finissent par atteindre l'autre rive.

Tina court à la maison en criant :

— Des chaussettes! Des chaussettes! De merveilleuses chaussettes! Ce sont les plus belles chaussettes que j'ai jamais eues. Grand-papa m'a fait traverser la rivière dans son bateau pour aller chercher ces chaussettes. Je ne les enlèverai JAMAIS!

— Jamais? demande sa maman.

— JAAAAAAAMAIS! répond Tina.

— Oh, oh! dit sa maman.

Tina porte ses chaussettes une journée, puis deux, et trois, quatre, cinq, six, sept, huit, neuf… Elle les porte pendant dix jours!

— Tina, je sais que tu adores tes chaussettes, fait remarquer sa maman, mais je vais les laver vite, vite. Sinon, elles vont sentir mauvais.

— Mes chaussettes, mes chaussettes, mes merveilleuses chaussettes? dit Tina. Je ne les enlèverai JAMAIS, JAMAIS!

Dix jours plus tard, les amis de Tina lui disent :

— Tina! Quelle odeur! Va changer de chaussettes!

— Mes chaussettes! Mes merveilleuses chaussettes? dit Tina. Je ne les enlèverai JAMAIS, JAMAIS, JAMAIS, JAMAIS, JAMAIS!

Dix jours plus tard, des bernaches qui passent au-dessus de la maison de Tina s'écrasent, à cause de la mauvaise odeur.

Deux orignaux qui traversent le jardin tombent par terre, à cause de la mauvaise odeur.

Et quand Tina se rend à l'école, des canards, des ratons laveurs et des écureuils tombent aussi par terre.

Les amis de Tina décident donc de passer à l'action. Ils viennent frapper à sa porte.

BAM! BAM! BAM! BAM! BAM!

Dès que Tina ouvre la porte, ils l'attrapent et l'emmènent à la rivière. Ils se pincent le nez et lui enlèvent ses chaussettes.

Quelques-uns retiennent Tina pendant
que les autres lavent ses chaussettes.

FROTTE, FROTTE, FROTTE, FROTTE, FROTTE

Tous les poissons de la rivière remontent
à la surface, comme s'ils étaient morts.

Les enfants lavent toujours.

FROTTE, FROTTE, FROTTE, FROTTE, FROTTE

Tous les castors sortent de la rivière et vont s'installer chez le grand-père de Tina. Les enfants lavent toujours.

FROTTE, FROTTE, FROTTE, FROTTE, FROTTE

Plus bas sur la rivière, les gens disent :
— Comment se fait-il que la rivière sente la mouffette?

Enfin, les chaussettes sont propres!

— Super! s'écrie Tina. Elles sont bien plus belles quand elles sont propres!

— Super! s'écrie Tina. Elles sentent bien meilleur quand elles sont propres!

— Super! s'écrie Tina. Elles sont bien plus douces quand elles sont propres!

Tina enfile ses chaussettes et dit :

— À partir d'aujourd'hui, je ne porterai que des chaussettes propres.

Les castors sortent de chez son grand-père et s'en retournent à la rivière.

Les bernaches se relèvent et s'envolent dans le ciel.

Les poissons décident qu'ils ne sont pas morts, après tout, et ils se mettent à sauter dans la rivière.

— Mes chaussettes sont propres, dit Tina à sa maman. Tu devrais m'amener à la ville pour m'acheter une chemise rouge, jaune et vert.

— Tu promets de la laver? demande sa maman.

— Non! s'exclame Tina. Si je la porte assez longtemps, mes amis le feront pour moi.